OPERATIE TERREUR

D0553311

Margaret Mahy

VERTAALD DOOR
John Riedijk

facet
Clavis Uitgeverij

Margaret Mahy
Operatie terreur

Tweede, herziene druk 2008

© 1997 Margaret Mahy
© 2002 voor het Nederlandse taalgebied: Facet,
een imprint van Clavis Uitgeverij, Hasselt – Amsterdam
Omslagontwerp: Studio Clavis
Vertaling uit het Engels: John Riedijk
Oorspronkelijke titel: *Operation Terror*
Oorspronkelijke uitgever: Penguin Books
Trefw.: spoken, auto, opsluiting, organenhandel
NUR 283
ISBN 978 90 5016 518 1
D/2008/9424/008
Alle rechten voorbehouden.

www.clavisbooks.com

Dit boek is gedrukt op papier met een certificaat
van de Forest Stewardship Council,
die verantwoord bosbeheer stimuleert.

 Mixed Sources
Productgroep uit goed beheerde bossen
en andere gecontroleerde bronnen.
www.fsc.org Cert no. CU-COC-803902
© 1996 Forest Stewardship Council

1

De auto

'Kijk!' riep Harley.

'Wat?' vroeg David.

'Daar!'

Harley wees.

Ze stonden onder een straatlantaarn in de Verbodstraat, een sombere straat van vervallen huizen met grauwe bakstenen muren en ingegooide ramen. De streep vaalgeel licht van de lantaarn viel op een huis. David zag dat de muur met graffiti was bespoten. *Waar is Quinta?* In onregelmatige, groene letters. En de vreemde vraag herhaalde zich over de hele muur.

Door Harley bevonden ze zich nu in dit onveilige deel van de stad.

'Avontuur, man!' had Harley gezegd. 'De Verbodstraat is gevaarlijk. Ze zeggen dat het er spookt. Dat de straat vervloekt is. Zelfs drugsdealers durven er niet te komen. En de politie al helemaal niet.'

Maar de Verbodstraat was niet gevaarlijk. En spoken? Het was er hooguit spookachtig, smerig en verlaten. En toch ... er moest iemand zijn, dacht Harley, terwijl hij nog steeds wees. Wat verderop stond een auto. Een gedeukte, vuile auto. Blauw.

'Vast van een drugsdealer,' bromde David spottend.

'Nee! Kijk! Kijk dan!' siste Harley. 'De sleutels zitten nog in het contact.'

David keek. Ja, het was waar. De autosleutels, die aan een kettinkje met een bungelende zilveren bal hingen, staken in het contactslot.

'Nou?'

Eén woordje maar. En toch stelde Harley een grote vraag aan David. Nog een keer: 'Nou?'

Sinds een half jaar, sinds zijn moeder, de muzieklerares op school, ervandoor was gegaan met een jazzgitarist, neigde Harley ernaar om *gevaarlijk* te leven. Het probleem was alleen dat hij David altijd mee wilde slepen in zijn gevaarlijke leven.

'Mooi niet!' zei David, terwijl hij staarde naar het zilveren, uitnodigend zwiebelende balletje. *Zwiebel, zwiebel, zwiebel ...*

'Hoezo niet?' drong Harley aan. 'Als je zo stom bent om de sleutels in je auto te laten zitten, dan *verdien* je het gewoon dat iemand hem steelt. Kan alleen maar goed zijn voor hem, let hij in de toekomst beter op.'

'Vergeet het, Harl. En, trouwens, wie moet er dan rijden?'

'O, *jij* niet, hoor!' riep Harley uit. 'Ik zal wel rijden. En ik verwed mijn hoofd erom dat ik die roestbak aan het rollen krijg.'

'Ja, maar iedere agent zal wel aan onze hoofden zien dat we kinderen zijn,' zei David, die er meteen de pest in had dat hij zo voorzichtig klonk, zo *saai*. Hij waagde het niet om nog meer te zeggen, namelijk dat hij eigenlijk naar huis wilde, want dat zijn moeder zich vast al ongerust zou maken.

Harley, met zijn haren rechtovereind, als de kuif van een opgewonden papegaai, zag geen problemen.

'Mijn oom heeft me leren rijden,' zei hij uitdagend. 'Hij zei dat ik beter kan rijden dan de meeste dwazen die hij kent.'

'Ook al ben je de beste autocoureur in de wereld,' bromde David, 'dan nog zal de politie ons aanhouden. Je bent nog maar dertien, en je ziet eruit als elf. Ik bedoel, zoals je oren uitsteken en die haren van je ...'

'Ja, ja, ja!' mompelde Harley, terwijl hij zijn haren plat duwde. Hij vond het nergens voor nodig om eraan herinnerd te worden dat hij belachelijk klein was voor zijn leeftijd. 'Als we geen overtredingen maken, zal het wel loslopen met de politie.' En hij stak zijn hand uit naar het portier van de gedeukte blauwe auto.

De deur ging zo gemakkelijk open, dat David een rilling over zijn rug voelde lopen. Alleen in een film gingen dit soort dingen zo gemakkelijk.

'Zie je wel, gewoon voor ons klaargezet, die bak.' Harley stapte in.

David haalde gelaten zijn schouders op. Wat maakte het ook uit als ze even in die auto gingen zitten. Ze konden zo weer uitstappen.

'Wauw! Zelfs een cd-speler, te gek!'

Harleys hand ging naar de sleutel. De zilveren bal aan het kettinkje zwaaide heen en weer, leek meer te gaan glanzen.

'Dat ding *kijkt* naar ons!' riep David uit. 'Kom op, Harl! Weg hier!'

'O, je moet zeker op tijd thuis zijn van mammie, hè?' zei Harley neerbuigend. 'Wordt het al te laat voor jou? Of ben je soms bang voor spoken?'

Dat zei hij dan altijd. Dat David bang was voor spoken.

Toen draaide Harley de sleutel om. De motor startte. De motor ronkte zo zacht en regelmatig, dat David zich bijna moest inspannen om het geluid te horen.

Harley trok de handrem los. David ging achteruit zitten en zei niets. Harley zette de versnelling in een. De auto reed ... schoof naar voren. Ze reden echt, door de duistere Forbes Street. De woorden *Quinta! Kom naar huis!* gleden in glanzende groene letters voorbij. Maar David schonk er nauwelijks aandacht aan. Hij en Harley hadden een auto gestolen. Vanaf nu waren ze op de vlucht.

2

'Liefste, liefste ... ik ga dood!'

'Muziek!' riep Harley, terwijl hij het stuur stevig vastklemde.

David boog zich naar voren, drukte op de 'play'-knop van de cd-speler.

'Je moet er eerst een cd in stoppen, oen!' riep Harley. Maar nog voor hij uitgesproken was, schalde de muziek al door de auto. Een of andere rockband: gitaren, versterkers, keyboards, drums ...

'Gaaf!' gilde Harley.

David probeerde de tekst te verstaan.

'Liefste, liefste, ik kom, ik ga dood!
Wat moet ik doen? Ga dood!'

David schoot met zijn hand naar 'stop'.

'Hé, wat doe je nou?' riep Harley boos.

'Hoor je dan niet wat ze zingen?' vroeg David.

'Wat zeur je nou, man!' zei Harley. 'Zet hem weer aan.'

Intussen waren ze langzaam en rustig door verlaten straten gereden.

Nu sloeg de auto een straat met eenrichtingsverkeer in.

'Niet harder gaan rijden,' waarschuwde David. 'Straks houden ze ons aan.'

'Ik ga niet harder rijden!' zei Harley ongeduldig, die nauwelijks met z'n hoofd boven het stuur uit kwam en minder zeker van zichzelf leek te klinken dan daarnet. 'Wat was er dan zo bijzonder aan de tekst die ze zongen?' vroeg hij.

'Het ging over de dood,' antwoordde David.

'Is dat alles? Ben je soms bang voor de dood, dan? O ja, dat is waar, jij gelooft in spoken, hè?'

Harleys hand ging naar de cd-speler. 'Muziek!'

En opnieuw dreunde de muziek door de auto, maar deze keer was het klassieke muziek. Een koor. Maar de woorden die de stemmen zongen, waren dezelfde, tenminste, bijna dezelfde.

'God, God, ik kom, ik ga dood!
Wat moet ik doen, in stervensnood?'

'Prachtige tenor!' zei Harley met een plotseling zachte, waarderende stem. En op zijn normale toon voegde hij eraan toe: 'Maffe tekst!'

'Te maf,' zei David. 'Stop, ik wil eruit.'

Harley kakelde als een kip.

'Oké! Dan ben ik maar een schijterige kip!' gromde David. 'Stop!'

Hij hoorde Harleys voeten vol vertrouwen op de pedalen bewegen, dan een pauze, gevolgd door onrustig schuifelen.

'Wat is er?' vroeg David bezorgd.

'Niks,' antwoordde Harley met hoge stem. 'Niks aan de hand! Alleen ... weet je wat? Omdat je mijn beste vriend bent, zet ik je bij je huis af.'

'Eerste weg links dan,' zei David.

Maar de auto reed voorbij de eerste weg links en voorbij de tweede weg links.

'Waar ben je mee bezig?' riep David.

'Niks,' zei Harley weer, maar hij klemde zijn lippen angstig op elkaar.

Voor hen sprongen de stoplichten op rood. Harley remde niet af, stopte niet. Ze reden door het rode licht en een auto van rechts schoot rakelings en hard toeterend achter hen langs.

'Je bent gek!' riep David. 'Stop! Stop, idioot!'

Harley draaide z'n hoofd naar hem toe. Hij hijgde.

'Let op de weg! Let op de weg!' gilde David.

'Dat hoeft niet,' zei Harley met een vreemd verwrongen stem. Hij liet zich onderuitzakken in zijn stoel, haalde zijn voet van het gaspedaal en zijn handen van het stuur. De motor van de auto zoemde rustig door. De auto verloor geen snelheid. De auto leek alleen maar nog harder te gaan rijden.

'Hij rijdt uit zichzelf,' bromde Harley uiteindelijk.

3

Willens-nillensbos

Recht voor hen uit, aan de rand van de stad, sneed een glinsterende streep door het duister van de nacht. De snelweg! De auto schoot plots naar voren, alsof hij ernaar hunkerde om te laten zien waartoe hij op een open weg allemaal in staat was. Hij koos de binnenste rijstrook en versnelde nogmaals. Het zoemen van de motor ging over in een diep ronken, als van een dreigend grommende tijger.

'Man!' riep Harley uit. 'Wat is dit voor auto!'

'Ik zei je toch dat we niet in moesten stappen!'

'Maar je *bent* ingestapt, hè?' Harley klonk alsof hij ieder moment in huilen kon uitbarsten. 'Hij brengt ons ergens naartoe,' jammerde hij.

'Ik denk naar ... een of ander bureau van de politie,' zei David. 'Het is een valstrik!' Met angstige blik staarde hij naar de weg die onder hen voorbijschoot. Ze werden de stad uit gereden. Spookachtig bleek glanzend strekte de weg zich uit in het grote licht van de auto. De bomen die opflitsten langs de donkere weg leken niet echt, eerder bouwsels die daar neergezet waren om de reizigers te bedotten. De auto schakelde naar de hoogste versnelling.

'*Willens-nillensbos,*' las David hardop. Onder aan het bord dat in de lichten zichtbaar werd, stond een pijl naar rechts.

'Willens-nillensbos?' riep Harley. 'Dat zijn alleen maar bomen, toch?'

'Het is een staatsbos,' zei David. 'Ze zijn daar een project begonnen met genetisch gemanipuleerde bomen ... Heel snel groeiende.' Hij herinnerde zich nog iets. 'Het *was* van de regering, maar nu is het van een of ander bedrijf, een soort wetenschappelijke groep ...'

'Het interesseert me geen zier van wie dat bos is,' gromde Harley. 'Ik wil naar huis.'

De auto schakelde terug en sloeg rechtsaf: een lange, rechte weg, die aan beide kanten afgebakend was met hoge hekken. Even doemden aan het einde van de weg donkere heuvels op tegen een met sterren bezaaide blauwzwarte hemel. Toen reed de auto Willens-nillensbos in. David rilde. Hij wist dat de bomen nog maar tien jaar geleden geplant waren, maar het voelde alsof ze werden opgeslokt door een bos van duizenden jaren oud.

4

Het onderzoekscentrum

Willens-nillensbos bestond uit reusachtige pijnbomen. Rij na rij na rij. De onderste takken van de bomen waren weggesnoeid. Het leken net ontelbare ballerina's, op één grijs been, in uitstaande groene rokjes. Perceel na perceel na perceel. Bij sommige percelen stond een bord: *Proefperceel A 46, Proefperceel B 16* ...

'Ik voel me niet lekker,' kreunde Harley.

David kreeg medelijden met zijn vriend: Harley voor-niets-en-niemand-bang bleek gewoon nep. Ergens diep in Harley zat een doodsbenauwd jongetje dat bang was voor allerlei dingen van het leven. Maar hij maakte zichzelf en iedereen wijs dat hij een krachtpatser was die alles aankon.

David voelde zich ook helemaal niet lekker, maar voor hem was het anders. Hij was eraan gewend om bang te zijn, en iedereen wist dat hij een schijterd was. Daarom dreef Harley altijd de spot met hem door te zeggen dat hij, David, bang was voor spoken. Maar misschien was Harley zelf wel nog veel banger voor spoken.

Dieper en dieper in Willens-nillensbos. Een bocht. De auto reed zo hard, dat het bos plots in een draaimolen leek te veranderen. En toen zagen ze vlak voor hen weer een rij heuvels. De auto begon te klimmen. Over de top van de eerste heuvel ...

Lichtjes. Een dorp? Onder hen strekten zich rechthoekige, lage gebouwen uit, en straten, zo kaarsrecht, dat het leek alsof ze door een reuzenhand met een liniaal getrokken waren. Boven alles uit rees een gebouw in de vorm van een zilveren cilinder. Het hele 'dorp' was omheind met hekken van metaalgaas en de weg werd verderop geblokkeerd door een metershoge stalen poort.

Willens-nillensonderzoekscentrum stond er op het bord naast de ingang. Even had David het vreemde gevoel dat *hij* stilstond en dat de woorden op hem af kwamen gesneld. Alsof hij naar een film zat te kijken.

'We rijden te pletter!' schreeuwde Harley. Met zijn armen over zijn hoofd dook hij weg.

Maar de poort – zoals de poorten in sprookjes – zwaaide open en de auto schoot het afgezette complex op zonder ook maar even gas terug te nemen. Linksaf, rechtsaf. Langs afgesloten ramen en deuren die een vreemd licht uitstraalden, alsof ze met elektronische luiken verzegeld waren.

'Het komt allemaal goed,' zei David tegen Harley. 'De auto is geprogrammeerd om terug te keren naar de mensen die ... die hem uitgevonden hebben. Ik bedoel, we hebben een probleem, maar verder is er niets aan de hand ...' Toen stokte zijn stem. En even kreeg hij het gevoel dat hij zou stikken.

De auto begon langzamer te rijden en sloeg rechtsaf. Weer een hek. Een afgesloten terrein binnen het terrein. En achter dit binnenhek rees het zilverwitte, cilindervormige gebouw op, als een ruimteschip dat met smalle lichtbundels aan de duisternis leek vastgepind.

Daar bewoog iets. Het gebouw werd bewaakt. Vanuit het niets was een man verschenen, die toekeek hoe de auto langzaam in zijn richting gleed.

David was blij dat hij een levend wezen in deze wereld van machines en geometrische gebouwen zag. Een officiële waarschuwing en een telefoontje naar zijn boze ouders, dacht hij hoopvol, en dan kon hij gelukkig weer terug naar de veilige wereld die hij kende.

De bewaker had blijkbaar een hefboom overgehaald of ergens op een knop gedrukt, want het hek schoof open. Langzaam gleed de auto langs de man, die hen met een glunderend gezicht opnam. In het gebouw rolde een deur omhoog, duisternis slokte hen op, de deur rolde weer omlaag. Een garage? De auto schokte nog een paar keer en kwam toen tot stilstand.

5

Het meisje

Lichten floepten aan. Een vierkante ruimte. Zo wit en zo schoon, dat het helemaal niet op een garage leek. Zachte, klassieke muziek. Maar gelukkig geen koor, dacht David.

Terwijl David probeerde te bedenken in wat voor gebouw ze zich bevonden, verschenen er in de witte muur voor hen twee rechte, donkere lijnen: twee deuren die opengingen. Kom binnen! leken de donkere ruimten in de witte muur te zeggen. Kom binnen!

Harley opende het portier aan zijn kant en de muziek stroomde de auto in.

'Ik blijf hier zitten!' zei David.

Harley trok het portier dicht en de muziek klonk weer meer op de achtergrond.

'O, kom op nou, Dave!' zei hij. 'Waar ben je bang voor? Spoken?'

'Elektronische spoken,' bromde David. 'Straks zetten we een of ander bewakingsapparaat in werking dat ons vergast.'

'Je zei toch dat ze hier met *bosbouw* bezig zijn?' zei Harley.

'Bomen, Dave. Waarom zouden ze bomen willen beveiligen? Ze geven ons gewoon een waarschuwing omdat we hier zonder toestemming zijn, rijden ons terug naar de snelweg en zeggen dat we hier niet meer mogen komen. Zoiets. Ze gaan ons heus niet vergassen.'

David verbaasde zich over Harleys optimisme.

'Wees toch niet zo naïef, Harl,' bromde hij. 'Ik bedoel, die auto is toch niet normaal. Dit is geen gewone taxi, dit ding is ... griezelig, toch? De hele plek hier is griezelig. Luister, we moeten ... laten we een plan maken.'

Harley zuchtte, maar hij moest toegeven dat zijn vriend ergens wel gelijk had. Griezelig was misschien een beetje overdreven, maar vreemd was het allemaal wel.

Ze bleven dus zitten en staarden door de voorruit van de auto naar de donkere openingen in de muur voor hen. En toen ... stond er plotseling iemand in de linkerdeur. Het ene moment was er nog niets te zien, en het volgende was daar iemand! Iemand die naar hen terugstaarde.

Een meisje. Zestien jaar, zeventien misschien. Ze droeg een versleten, leren jas die tot over haar knieën viel en die ze tegen zich aan dichtgeslagen hield, alsof ze het koud had. Ze had heel kortgeknipt, rood haar en een grote, donkere zonnebril met een metalen montuur. De bril was zo groot dat haar gezicht er bijna geheel achter schuilging. In haar rechteroor zaten drie ringen, en in haar linkerneusgat ook een. Niet iemand die je zou verwachten te zien in een wetenschappelijk onderzoekscentrum.

De jongens staarden. Het meisje staarde. En toen stapte ze blijkbaar net zo snel terug in de duisternis als dat ze eruit tevoorschijn gekomen was, want plotseling was ze weer verdwenen. David had niet gezien dat ze zich had bewogen, maar ze was er niet meer.

'Hé!' riep Harley. 'Een grietje!'

David merkte aan Harley dat het zien van het meisje zijn vriend nieuwe moed had gegeven en dat hij het weer cool probeerde te spelen.

'Oké,' speelde David mee. 'Laten we het dan maar onder ogen zien.'

'Onder ogen zien?' vroeg Harley. 'Ik heb geen ogen gezien. Wat een bril, man!'

'Haha!' zei David. 'Kom op, Harley, we hebben wel een auto gestolen, ja?'

'Die auto heeft ons gestolen!' reageerde Harley verontwaardigd. 'En, trouwens, wie zo stom is om de sleutels in zijn auto te laten zitten, vraagt erom.'

Dat was nu precies wat David dwarszat. Hij kreeg meer en meer het gevoel dat de auto er inderdaad om *gevraagd* had gestolen te worden.

En op dat moment klonk er een klopje op het raam, vlak naast zijn oor.

6

Winnie Finney

Harley slaakte een gil. En als zijn keel niet dichtgeknepen was geweest van de schrik, zou David met hem meegegild hebben. De klop op het portierraam was een centimeter of zeven van zijn oor, en toen hij zijn hoofd met een snelle, automatische ruk omdraaide, keek hij in het glunderende gezicht van de bewaker die ze bij de ingang hadden gezien. De man was blijkbaar door een andere deur binnengekomen en gluurde nu door het autoraam.

Aarzelend stapten David en Harley uit. Met trillende benen en op alles voorbereid. Maar de bewaker maakte geen onvriendelijke indruk, dus ze hoopten maar dat dit hele gedoe met een sisser zou aflopen. De muziek – klassieke orgelmuziek – vulde nog steeds de ruimte, maar leek nu minder hard te klinken dan toen Harley zijn portier daarstraks had geopend.

'Mooi ritje!' zei de man terwijl hij op het dak van de auto klopte. 'Leuk jullie eindelijk in levenden lijve te ontmoeten, jongens. Hoewel ik jullie al lijk te kennen, want ik heb jullie komst natuurlijk van begin tot eind op mijn monitor gevolgd. Mijn naam is Finney, Winston Finney. Winnie

Finney, noemen ze me. Nou, hebben jullie genoten van het reisje?'

'Ik begrijp er niets van,' zei David. Tenminste, dat probeerde hij te zeggen, maar zijn keel voelde nog steeds dichtgesnoerd, en zijn lippen bewogen wel, maar er kwam geen geluid uit zijn mond.

'Te gek, man!' kraakte Harley, die weer zijn best deed om cool te zijn.

'Ik heb hem persoonlijk geprogrammeerd,' zei Winnie Finney trots. Hij klopte de auto liefdevol op de gedeukte motorkap. 'En ik heb de bakens afgezet en langs de route aangebracht. Nou ja, bakens, zo noemen wij ze wel, maar ze zijn natuurlijk zo klein dat je ze niet ziet als je niet weet waar je moet kijken. En voor de sensors hebben we de laatste snufjes Japanse elektronische apparatuur gebruikt, ook in de bumpers. Reageren nog bij de hoogste snelheid op uitgezonden signalen! Maar laat ik jullie niet vermoeien met technische praatjes. We moeten ons concentreren op jullie welzijn. Kom maar mee!'

David en Harley grijnsden elkaar onzeker toe en volgden de vreemde man die door de rechterdeur stapte. De ontvangst was in ieder geval niet zo verschrikkelijk als ze hadden gevreesd.

De deur bleek toegang te geven tot een lift, waar een licht was aangegaan zodra Winnie Finney erin gestapt was. Winnie Finney drukte op een knop. De liftdeur schoof dicht. David probeerde uit te maken naar welke verdieping ze gingen, maar op de knoppen stonden geen nummers en het was te moeilijk om vast te stellen hoe snel of hoe ver ze gingen. Het enige dat hij meende te voelen, was dat de lift omlaagging.

'Is het ver?' vroeg hij, in de hoop toch iets wijzer te worden.

'Jaja,' zei Winnie Finney raadselachtig, alsof hij met zijn gedachten ergens anders was. 'Er steekt veel, veel meer achter de dingen dan wij kunnen zien, weet je.'

De lift stopte. De deur schoof open. Een blauw geschilderde gang, naar links en rechts.

'Het spijt me, maar ik ben bang dat we jullie niet meteen naar huis kunnen laten gaan,' zei Winnie Finney. 'Maar maak jullie geen zorgen, ik breng jullie naar een plek waar je een kop koffie krijgt en kunt uitrusten.'

'Kan ik mijn moeder bellen?' vroeg David.

De opmerking over koffie had hem herinnerd aan z'n moeder. Ze zou nu vast en zeker op hem zitten te wachten, koffie drinken, proberen zich geen zorgen te maken, maar steeds ongeruster worden naarmate de tijd verstreek.

Winnie Finney klopte hem vriendelijk op de schouder, maar gaf geen antwoord op zijn vraag. 'Alleen de belangrijkste mensen komen hier,' zei hij. 'Jullie worden echt als beroemdheden behandeld.'

Hij stak een hand in zijn zak en haalde iets tevoorschijn dat op een revolver leek. Maar er klonk geen knal toen hij de trekker overhaalde, alleen de zachte klik van weer een andere deur die openschoof.

'Vlug!' maande Winnie Finney.

Hij duwde Harley en David naar voren en spreidde toen zijn lange armen, alsof hij wilde voorkomen dat de jongens zouden proberen ervandoor te gaan.

'Het spijt me dat ik jullie moet opjagen, maar als deze deur niet binnen een minuut weer sluit, gaat er een alarm af. Veiligheidsmaatregel!' voegde hij eraan toe, alsof dat alles verklaarde.

Ze liepen door een smalle, felverlichte gang en kwamen toen uit op weer een andere gang, ook weer blauw geschilderd, maar met meer bochten deze keer.

Van rechts kwam een groepje mensen hen tegemoet. Voorop liepen een man en een vrouw in identieke, lichtblauwe jasjes en broeken. Ze werden gevolgd door drie mensen in gewone, maar zo te zien dure kleren. Een van hen duwde een elektrische rolstoel voor zich uit, waarin een knokige oude man zat, met voor zijn gezicht een soort zuurstofmasker.

Het was een vreemd tafereel, zelfs in deze vreemde omgeving. Ook Winnie Finney leek erdoor verrast. Hij slaakte een kreet en zwaaide met zijn arm.

'Terug! Laat die mensen door,' zei hij rustig, maar op besliste toon.

'We maken alles zo gerieflijk mogelijk voor u, mijnheer Yee,' sprak de vrouw in het lichtblauwe uniform. Een van de drie mensen achter de rolstoel zei iets in een taal die David niet verstond. Hij leek de woorden van de vrouw te vertalen, waarschijnlijk voor de man in de rolstoel. Het groepje passeerde zonder dat iemand van hen Winnie Finney of de jongens ook maar een blik waardig keurde.

'We specialiseren ons,' legde Winnie Finney uit, toen het gezelschap in een bocht uit het zicht verdwenen was, 'in het ontwikkelen van ... eh ... allerlei hulpprogramma's voor mensen die een ongeluk hebben gehad of niet meer zo goed functioneren als jullie en ik. Nou, deze kant op. Jullie zien er wat sjofel uit, maar goed, voordat jullie dokter Fabrice ontmoeten, krijgen jullie nog de gelegenheid je wat op te kalefateren.'

'Dokter Fabriek?' vroeg Harley.

'Neenee, niet dokter Fabriek,' glunderde Winnie Finney – nog meer dan hij al van nature leek te doen – alsof Harley een fantastische grap had gemaakt. 'Dokter Fabrice. Zeer getalenteerd man. Zeer gerespecteerd in de hoogste intellectuele kringen.'

'Luister, meneer, we willen echt alleen maar naar huis,' zei David. 'En ik wil nu ook graag mijn moeder even bellen, dat ...'

Maar Winnie Finney schudde z'n hoofd en richtte zijn deuropener op een deur, die gehoorzaam openschoof. Hij stapte opzij om de jongens door te laten. 'Dit is de wachtkamer. Straks mogen jullie bij dokter Fabrice een paar testen doen en enkele formulieren invullen. Veiligheidsmaatregel!'

'Maar wij *zijn* niet gevaarlijk,' zei Harley.

'Ah, maar jullie zijn ook niet echt betrouwbaar, hè?' meende Winnie Finney. 'Dat kan niet, want dan zouden jullie nu niet hier zijn.'

'Het spijt ons,' zei David. 'Echt, het was een domme vergissing. Kunnen we niet gewoon ...'

'Het probleem met ons bedrijf is dat we zo veiligheidsbewust *moeten* zijn,' onderbrak Winnie Finney hem. 'Dokter Fabrice zal jullie zo snel mogelijk ontvangen.'

En met een knipoog vertrok de glunderende Winnie Finney. De muziek vervaagde zonder helemaal weg te sterven. David bleef ze op de achtergrond horen als het zoemen van een insect dat gevangenzat in de doolhof van zijn oor.

Ze keken de wachtkamer rond. Donkerblauwe deuren in drie van de blauwe wanden. Vier stoelen, blauw gestoffeerd, rond een lage, glazen tafel, waarop tijdschriften in verschillende talen lagen. In een van de hoeken stond een televisie die bijna te groot en te zwaar leek om luchtige soaps en komische films te kunnen uitzenden. In een andere hoek stonden een frisdrankenautomaat en een koffiemachine met plastic bekertjes.

David liep naar de frisdrankenautomaat, terwijl Harley de deuren onderzocht.

'Nergens een knop,' zei hij. 'We kunnen er niet uit.'

'Had je soms gedacht dat ze je hier gewoon vrij rond zouden laten lopen?' klonk een stem.

Een meisjesstem. En daar was ze weer. Het meisje dat ze in de linkerdeur van de garage hadden gezien.

Ze hadden in hun hele leven nog nooit zo'n vreemde toestand meegemaakt en het was ze intussen wel duidelijk dat je in dit bizarre onderzoekscentrum nergens zeker van kon zijn, maar David en Harley wisten heel zeker dat het meisje niet in de wachtkamer was geweest toen ze er met Winnie Finney binnenstapten.

7

Televisie

'Hoe kom jij hier binnen?' vroeg Harley.

'Ik heb hier op jullie gewacht,' antwoordde het meisje. 'Ik wist dat hij jullie hier zou brengen.'

'Maar *hoe* ben je hier binnengekomen?' drong Harley aan.

'O, ik kom en ga,' klonk het antwoord.

Het meisje droeg nog steeds de grote, donkere bril en ook nog steeds – op dezelfde manier, alsof ze het ijzig koud had – de lange, zwartleren jas. Het deed David beseffen hoe warm het in de kamer was. De blote voeten van het meisje, zag hij nu, zaten in hoge, zwarte basketbalschoenen.

'Nou,' zei Harley, 'vertel ons dan maar hoe wij *uit* deze kamer komen. Ik bedoel, wij *moeten* hier weg.'

Het meisje lachte. Puntige, witte tanden.

'Hoe zijn jullie hier gekomen?' vroeg ze. 'Ik bedoel, in het centrum?'

'Met een auto, die ... die niet van ons was,' zei Harley.

'O, *die* auto!' Het meisje knikte en haalde een pakje kauwgom uit haar jaszak.

'We leenden hem, zogezegd. Nou ja, eigenlijk leende hij *ons*,' zei David, terwijl hij toekeek hoe het meisje een reepje kauwgom in haar mond propte. Hij zag dat ze ook leren handschoenen droeg. Zwartleren handschoenen zonder vingers.

'Wauw! Is de techniek geen wonder?' merkte het meisje cynisch op, duidelijk zonder antwoord te verwachten.

'Is die deur achter jou open?' vroeg Harley. 'Kunnen we daardoor weg?'

'Uit... einde... lijk,' mompelde het meisje. Haar stem stierf weg en ze kreeg een vreemde uitdrukking op haar gezicht.

Ze opende haar mond alsof ze nog meer wilde zeggen, maar leek plotseling moeite te hebben met praten. 'Ik ...k ...k,' stamelde ze. Toen hervond ze haar stem. 'Ik kan jullie blijkbaar niet veel vertellen,' klonk het zacht. 'Jullie zullen er zelf achter moeten komen.'

'Werk je hier?' vroeg Harley.

David staarde alleen maar. Hij vroeg zich af wat een meisje dat eruitzag als een dakloos punkmeisje op zo'n hypermodern wetenschappelijk onderzoekscentrum deed.

'Nu, op dit moment,' antwoordde ze. 'Maar ik ga weg, zodra ik klaar ben met mijn opdracht.'

'Wat is je opdracht ...' begon David, maar Harley onderbrak hem.

'Waarom kun je ons niet veel vertellen?' viel hij uit. 'Is het topgeheim of zo?'

'Ik kan gewoon niet meer vertellen,' zei het meisje. 'Er

is een soort ... wet, die me dat verbiedt. Ik moet de hele tijd tegen wetten vechten om hier te zijn.'

'Kun je wel vragen beantwoorden?' vroeg David.

'Als je de goede vragen stelt. En dan ben je al halfweg, of ik die vragen nu wel of niet beantwoord,' voegde ze er op geheimzinnige toon aan toe.

'Moeten we hier dan maar blijven zitten en niks doen en wachten?' riep Harley boos uit.

'Verveel je je?' vroeg het meisje.

'Daar gaat het niet om,' zei Harley. 'Ik heb geen zin ...'

Maar het meisje liet hem niet uitpraten. 'Want als je je verveelt, moet je iets zoeken om je te amuseren.' Ze knikte met haar hoofd in de richting van de televisie. 'Waarom niet een leuke soap?' Haar stem klonk vrolijk, plagerig, als-of ze een raadsel opgaf. 'Beter dan niets!'

David liep naar de televisie, bleef aarzelend staan en draaide zich om. Het meisje knikte weer. Bemoedigend. David haalde diep adem en drukte op het knopje waar 'power' op stond. Het scherm flikkerde aan.

Het beeld was niet in kleur, ook niet in zwart-wit, maar in verschillende tinten blauw.

Ze zagen een lege, bochtige gang, misschien de laatste gang waardoor ze gelopen hadden. David en Harley staar-den ingespannen, verwachtten dat er iets zou gebeuren. Maar de gang bleef leeg. Er gingen geen deuren open. Er ge-beurde niets.

'Niks aan!' klonk de stem van het meisje achter hen. 'An-der kanaal.'

'Hoe?' vroeg David, maar toen zag hij op de televisie iets liggen wat op een afstandsbediening leek. Hij pakte het apparaatje en drukte op de enige knop die erop stond.

De gang maakte plaats voor een tamelijk bekend beeld. Tien mensen in blauwe jasjes en broeken bewogen zich rond in een zaal met allerlei apparatuur, monitors, felle lichten ...

'Een ziekenhuis,' zei Harley verbaasd. 'Een operatiekamer. Heb ik gelijk?'

'Het zou een ziekenhuis voor bomen kunnen zijn,' opperde het meisje. 'Wat denk jij?'

'Zeg jij het maar! Jij bent toch zo slim?' gromde Harley.

David en Harley keken haar aan, terug naar het scherm, weer terug naar haar. Het meisje opende haar mond, maar voor de tweede keer leken de woorden in haar keel te blijven steken.

'Zoek het zelf maar uit,' zei ze ten slotte. Ze haalde onverschillig haar schouders op. 'Het is jullie begrafenis.' En ze lachte alsof ze iets heel leuks had gezegd.

David drukte weer op de knop van de afstandsbediening. Het beeld op het scherm vervaagde. Eerst kon hij niet plaatsen wat hij nu zag, hoewel het hem toch ook weer bekend voorkwam. Twee mensen stonden met hun rug naar de camera en staarden naar een televisie. Stoelen, een tafel met tijdschriften. David draaide zich om naar de glazen tafel met tijdschriften. Harley slaakte een kreet.

'Jij!' riep hij uit. David keek snel weer terug naar het scherm, en dat deed ook de figuur op het scherm, zodat hij niet ... niet kon ...

'Wij! We kijken naar onszelf!' Harleys stem trilde.

En David voelde ook de rillingen over zijn rug lopen. 'Er moet hier ergens een camera zijn,' zei hij terwijl hij met zijn ogen het plafond afzocht. 'Kijk! In die hoek, daar!' Hij wees. 'Ze bespioneren ons!'

'Monitoren,' merkte het meisje op. 'Ze noemen het *monitoren*. Alsof ze toezicht houden uit zorgzaamheid. En ze zullen ook voor jullie zorgen als jullie ... als jullie zelf niet goed voor jezelf zorgen.'

David had genoeg van dat raadselachtige gepraat en van het staren naar zijn eigen rug. Snel drukte hij weer op de knop.

Een grote, betegelde ruimte vulde het scherm. Langs twee wanden stonden roestvrijstalen wasbakken en ijskasten. In het midden twee staalgrijze tafels die aan operatietafels deden denken, maar nergens de verfijnde apparatuur die in de andere kamer zo dominerend was geweest.

De derde wand, die maar gedeeltelijk zichtbaar was, leek vrijwel geheel ingenomen te worden door grote, stalen laden. In de verste hoek zag David een soort kamerschermen, wit en glad, die hem ergens aan deden denken, maar voordat zijn geheugen hem wijzer kon maken, verdween het beeld en was er alleen nog flikkerende sneeuw te zien.

'Wacht!' riep Harley. 'Laat me die kamer nog eens zien!'

'Het ging vanzelf weg,' zei David, terwijl hij zonder effect een paar keer op de knop drukte.

'Overcommando van de ouwe,' zei het meisje. 'Dokter

Fabrice, die probeert door te komen.' En ze hikte een vreemd lachje.

Een heel ander beeld verscheen nu op het scherm. In kleur. Een kantoor met een keurig geordend bureau en een man in een keurig pak.

'Goedenavond,' zei de man. Hij sprak met een accent dat David niet thuis kon brengen. 'Ik ben dokter Fabrice. Ik neem aan dat jullie verteld is dat je mij kon verwachten. Ik zal jullie vertellen wat jullie moeten doen.'

8

Dokter Fabrice

Dokter Fabrice nam hen op met een wetenschappelijke blik.

'Ik begrijp dat jullie verontrust zijn door de situatie, maar er is geen reden tot bezorgdheid. Over twee minuten gaat de deur links open. Schone kleren vinden jullie in het vertrek achter de douches. We zijn genoodzaakt jullie eerst door een kiemdodende ruimte te leiden. Daarna moeten jullie het uniform aantrekken.'

'Ik ga niet voor aap lopen in een of ander uniform,' protesteerde Harley.

'Weigering heeft dwang tot gevolg,' vervolgde dokter Fabrice onbewogen. 'Na het proces van desinfectering worden jullie ondervraagd en in het systeem ingedeeld. Vergeet niet dat jullie hier geheel uit eigen vrije wil gekomen zijn. Ik raad jullie aan om mee te werken.'

Weg. Sneeuw. Het scherm was weer leeg. En zoals dokter Fabrice beloofd had, schoof de linkerdeur open.

'Misschien kunnen we maar beter doen wat hij zegt,' zei David aarzelend. Hij draaide zich om naar het meisje. En terwijl hij naar haar keek, overviel hem het onbestemde gevoel dat hem iets ontgaan was. Dat hij iets over het hoofd had gezien. Iets belangrijks.

'Toen wij ons daarnet op die televisie zagen ...' Hij wachtte even. En toen wist hij het plotseling. 'Waar was *jij*? Ik bedoel, je stond vlak bij ons, maar ik heb jou niet op het scherm gezien!'

'O nee?' klonk het luchtig. 'Nou, misschien weet ik genoeg van deze plek om buiten het bereik van de camera's te blijven. Er zijn altijd plekken die buiten het oog van de camera vallen. Of misschien heb ik wel een bijzondere gave en kan ik me onzichtbaar maken?' En daar moest ze weer heel erg om lachen.

David en Harley konden er helemaal niet om lachen. Harley haalde zijn schouders op en liep door de deur. David volgde zuchtend. In de deuropening keek hij over z'n schouder en vroeg: 'Hoe heet jij eigenlijk?'

'Quinta! En jij?'

Maar voordat David kon antwoorden, schoof de deur achter hem dicht.

9

'Je wordt niet meer wakker'

Quinta! dacht David. De graffiti in de Verbodstraat. *Waar is Quinta?* had iemand op de muren gespoten.

'Harley ...' begon hij.

Verder kwam hij niet. Hij staarde naar de douchecellen, dacht aan de woorden van dokter Fabrice en aan schapen die tegen hun wil in een bad met insecticide gedompeld worden. Zich bewust van het oog van spiedende camera's vouwden David en Harley hun kleren netjes op, zodat ze volwassen en verantwoordelijk overkwamen. Thuis deden ze dat nooit. Naakt stapten ze in een van de cellen en onmiddellijk sloot de deur zich achter hen. Dat was blijkbaar een standaardprocedure. En terwijl ze onder de aanspringende douche stonden, schoof de achterwand van de cel al open.

Druipend en rillend gehoorzaamden ze het bevel om hun weg te vervolgen. Zo kwamen ze in een afgesloten ruimte. Geen ramen, geen luchtgaten, geen ventilatie, alleen maar een tiental sproeiers in het plafond – en in een hoek natuurlijk de onvermijdelijke camera – die luid begonnen te sissen en een warme, groenachtige nevel verspreidden. Weldra was de lucht in de ruimte gevuld met de doordringende geur van ontsmettingsmiddel.

'Ze desinfecteren ons!' riep Harley woedend. 'We zijn toch geen beesten!'

'Hij heeft toch gezegd dat we gedesinfecteerd zouden worden,' zei David. 'Die dokter Fabrice, bedoel ik.' Zijn stem klonk kalm, maar zijn hersens tolden achtbaanrondjes. *Quinta!* Het meisje. Quinta. Ze was blijkbaar in Forbes Street verdwenen. Zou zij daar ook in die auto gestapt zijn? En hoe lang was zij dan al hier?

Een deur zoemde open. De zoveelste blauwe kamer. David inspecteerde het plafond. Ja! De zoveelste camera. Overal waar ze kwamen, hingen camera's. Overal werden ze *gemonitord.* Belachelijk woord. Ze werden gewoon in de gaten gehouden. Blauwe handdoeken en kleren lagen op een bank voor hen klaar.

'Jurken!' riep Harley verbijsterd uit.

'Schorten,' zei David. 'Ziekenhuisschorten.'

'In zo'n ding loop ik niet rond,' protesteerde Harley. 'Dan zien ze mijn blote kont!'

'Niet echt, Harl. Als je hem goed strak ombindt, valt het wel mee.'

Maar ze voelden zich allebei behoorlijk kwetsbaar toen ze door de deur stapten die aan het eind van de kamer uitnodigend opengeschoven was. En daarachter was het kantoor. Ze waren in het kantoor met het bureau dat ze op de televisie hadden gezien. De man in het keurige pak achter het keurige bureau nam hen glimlachend op. Dokter Fabrice.

'Zo!' zei de man. 'Dus jullie hebben een auto gestolen en nu zijn jullie hier.'

'We hebben hem niet gestolen,' mompelde Harley.

'O, alleen maar geleend?' merkte dokter Fabrice spottend op. 'Tja, erg spijtig allemaal, maar nu is er niks meer aan te doen. Jullie zijn privéterrein binnengedrongen.'

'Willens-nillensbos is toevallig een staatsdomein,' protesteerde Harley.

'Met privé bedoel ik dat we hier alleen mensen toelaten die uitgenodigd zijn,' merkte dokter Fabrice op. 'Er wordt hier onderzoek en werk verricht dat tegen nieuwsgierige ogen beschermd moet worden. Er liggen concurrenten op de loer, begrijp je.'

'Mag ik mijn moeder bellen? Alleen om haar te laten weten dat ik gezond en ongedeerd ben?' vroeg David.

'Geen sprake van.'

'Maar begrijpt u dan niet dat ze doodongerust is?' jammerde David.

'Daar had je aan moeten denken voordat je de auto stal,' zei dokter Fabrice onverschillig. 'En jullie hebben nog geluk. We zullen jullie niet bij de politie aangeven, alleen maar even monitoren. Jullie hebben misschien schadelijke bacteriën of virussen binnengebracht, of zelf iets opgelopen. Het is om ons en om jullie eigen bestwil dat we jullie onderzoeken.'

'Iets opgelopen? Virussen? U bedoelt ... dat we besmet zijn? Dat we misschien doodgaan?'

'Laten we er het beste van hopen,' zei dokter Fabrice rustig. En David dacht iets van een glimlach te bespeuren op het bleke gelaat. 'Maar het is mogelijk. Uit voorzorg zal ik jullie de nodige injecties laten toedienen, maar eerst heb ik een paar vragen.' Uit een lade in zijn bureau haalde dokter Fabrice een stapel witte formulieren tevoorschijn. 'Laten we beginnen met jullie naam en geboortedatum.'

Harley en David antwoordden. Ze beantwoordden de ene na de andere vraag. Welke ziektes hadden ze gehad? Waren ze allergisch voor bepaalde stoffen, dieren, planten, geuren? Gebruikten ze medicijnen? Of anabole steroïden? Alcohol? Drugs? Hadden ze een hartziekte? Had een van hen wel eens een injectie in het hart gehad? Ziekten in de familie? Erfelijk ... misschien?

De vragen hielden niet op. David en Harley gaven antwoord en antwoord en antwoord. Ze tolden op hun stoel. Ze kregen het misselijke gevoel dat ze tien keer achter elkaar in alle draaiende en zwierende en zwaaiende kermisattracties waren geweest.

Eindelijk. Eindelijk kwam er geen vraag meer. Dokter Fabrice drukte op een knopje in het blad van zijn bureau en ze hoorden een bel rinkelen. Even later kwam er een verpleegster binnen. Ze duwde een ziekenhuiswagentje voor zich uit. Zonder hen te begroeten of aan te kijken bleef ze voor het bureau staan.

'We hebben om te beginnen een buisje bloed van jullie nodig,' zei dokter Fabrice. 'Het doet geen pijn. De injecties komen later wel.'

'Waar is dit eigenlijk allemaal goed voor?' zuchtte Harley, nog uitgeput van de vraag-en-antwoordslag.

'Het is om jullie bestwil,' zei dokter Fabrice. 'En het heeft geen zin om het uit leggen, jullie zouden het toch niet begrijpen.'

Zijn stem was zacht en beheerst, maar klonk ook onheilspellend. Bijna dreigend, vond David.

'We zijn niet stom,' zei hij, terwijl hij keek hoe zijn bloed door de naald in het buisje gezogen werd dat de verpleegster vasthield.

Dokter Fabrice glimlachte. 'O, zijn jullie niet stom? Hoe komt 't dan dat jullie hier zijn? Onuitgenodigd?'

'Oké, dat was stom,' zei David. 'Maar iedereen doet vroeg of laat wel eens iets stoms.'

'Hm, alleraardigste theorie,' zei dokter Fabrice met een koel glimlachje.

'Nou moet u eens goed luisteren ...' begon David, die zich in de maling genomen voelde.

Maar Harley stootte hem nerveus aan en siste: 'Hou je mond!' En toen zei hij, op gewone toon, tegen dokter Fabrice: 'Het spijt ons, oké? Wij gaan weg en zullen u niet meer tot last zijn. En niemand iets vertellen. Erewoord!'

'Natuurlijk, erewoord. En ik geloof je,' zei dokter Fabrice op kille toon. 'Natuurlijk geloof ik dat jullie hier vertrekken en nooit ook maar zullen fluisteren over wat je hier gezien en meegemaakt hebt. Jullie zijn echt twee eerlijke jongens die hun beloften nakomen. Maar de regels hier zijn dat jullie een formulier ondertekenen, waarmee jullie je wettelijk verplichten te zwijgen over jullie avontuur. Dit is een nationaal onderzoekscentrum en vandaag de dag hebben we te maken met internationale industriële spionage. Dus met jullie handtekening kunnen we jullie officieel ter verantwoording roepen als er geheime zaken naar buiten lekken.' Hij schoof hun ieder een roze formulier toe.

'U denkt toch niet dat wij spionnen zijn?' vroeg Harley ongelovig. 'Wij zijn ... kinderen.'

'Kinderen van jullie leeftijd zijn vaak handiger met computers dan volwassenen, om maar eens iets te noemen,' zei dokter Fabrice. 'Dus teken dit formulier, dan overleggen we met onze rechtskundige adviseurs of en wanneer we jullie naar huis zullen laten gaan.'

'Of en wanneer?' zuchtte David. 'Ik bedoel, mijn moeder ... alstublieft, dokter Fabrice, laat me haar bellen en geruststellen.'

'Het spijt me,' zei dokter Fabrice, terwijl hij toekeek hoe Harley zijn formulier ondertekende zonder het te lezen. Toen was het Davids beurt. Terwijl ook hij met een diepe zucht zijn handtekening neerkrabbelde, hoorde hij Harley achter zich gapen. En hij begreep hoe zijn vriend zich voelde: het was alsof ze afmonsterden na een gevaarlijke zeereis, eindelijk vrij om moe te zijn, om te slapen.

Dokter Fabrice pakte de formulieren en stopte ze in een plastic map.

'Ik kan jullie een bed aanbieden tot de ochtendploeg begint,' zei hij. 'Ik raad jullie aan te gaan slapen. Ons nachtpersoneel zal jullie kleren wassen.'

David en Harley haalden opgelucht adem. Het leek erop dat ze het ergste achter de rug hadden. Slapen. De volgende uren zouden snel voorbij zijn en dan mochten ze vast en zeker vertrekken. Die dokter zou nu toch wel begrepen hebben dat ze ongevaarlijk waren?

Achter zijn bureau had dokter Fabrice imposant geleken, maar nu hij opstond, bleek hij een tamelijk kleine en gedrongen man. De jongens volgden hem het kantoor uit.

Op de gang overviel hen de muziek weer. Het voelde letterlijk alsof de muziek hen aanviel. David dacht aan horrorfilms, aan griezelige gedrochten die op orgels speelden, reusachtige orgels met pijpen en kleppen die als paddenstoelen uit rotswanden groeiden.

Dokter Fabrice opende een deur. Weer een blauwe kamer. Maar er was ook wit, het wit van twee bedden, zo zacht en schoon, dat David een zucht van opluchting liet ontsnappen. Na de douche, het desinfecteren en de vraag-en-antwoordsessie voelde hij zich nu zelf ook zacht en schoon, alsof alle vuil langs binnen en buiten weggewassen was.

Zodra dokter Fabrice verdwenen was, keek David de kamer rond.

Ja! Ook hier weer een camera. Maar wat kon het hem ook schelen. Het enige wat nu belangrijk was, was dat hij kon slapen, zorgeloos slapen.

En toen slaakte Harley een kreet van afgrijzen.

Verschrikt draaide David zich om en zag Harley met open mond staren naar het bed dat tegen de linkerwand van de smalle kamer stond. Dat was leeg ... geweest! Nu lag er iemand in!

Onder het hagelwitte laken lag een jonge man, zo te zien in diepe slaap. In de eerste duizelende seconden dacht David dat de man lange, vingerloze, blauw geborduurde handschoenen droeg. Toen drong het tot hem door dat de handen, die over elkaar gevouwen op het laken lagen, getatoeëerd waren. De tatoeages liepen door tot aan de ellebogen: bloemen, naakte meisjes met lange haren, kronkelende slangen. De geelachtige huid tussen de blauwzwarte lijnen leek doorzichtig, als helder stromend water. David kreeg het gevoel dat hij dwars door de huid heen het laken zou kunnen zien. De kamer begon voor zijn ogen te draaien en even was hij bang dat hij flauw zou vallen. Nee! Niet flauwvallen!

Hij draaide zich om naar dokter Fabrice. Een uil? Zat er een uil op zijn schouder? Grote, ronde, donkere ogen staarden hem aan. Quinta! Het was het meisje, Quinta, die over de schouder van dokter Fabrice heen naar hem staarde. Maar het leek of de dokter zich niet van haar bewust was.

En toen klonk er weer een opgewonden kreet van Harley. Hij wees naar het bed. Het blauwe laken tussen de vingers van de jongen begon rood te kleuren. Diep donkerrood.

'Bloed!' schreeuwde Harley.

'Hou op met die aanstellerij,' zei dokter Fabrice geïrriteerd. 'Ga slapen. We zullen jullie wekken voor het ontbijt.'

Slapen? In dat bed? Met die getatoeëerde, bloedende man? Dacht hij soms dat ze gek waren?

En toen kwam Quinta met houterige bewegingen, als van een marionet aan touwtjes, achter de dokter omhoog en ze opende haar mond.

'Vlucht! Vlucht! Je wordt niet meer wakker! Geen ontbijt! Verstop je! Vlucht en verstop je!'

Dokter Fabrice trok zijn wenkbrauwen op en draaide zich langzaam om, alsof hij Quinta niet hoorde, maar wel plotseling wist dat ze daar was. Quinta glimlachte naar hem, alsof ze oude vrienden waren. De ogen van de dokter waren niet meer dan een paar centimeter van de donkere brillenglazen.

David en Harley vlogen links en rechts langs de dokter, die brulde ... niet zozeer van woede, maar meer als iemand die plots door stekende pijnscheuten werd getroffen.

Ze vluchtten. Ze vluchtten de blauwe kamer uit, de blauwe gang op en renden, renden zonder te weten waarheen, maar alsof de duivel hen op de hielen zat. En het was ook alsof de duivel achter hen brulde. David wierp een angstige blik over zijn schouder en zag dokter Fabrice over de vloer van de blauwe gang kruipen, met zijn hoofd in een vreemde knik, alsof zijn nek was gebroken. Hij zag hem verder ineenzakken, en dan stil blijven liggen. David begreep het niet, maar om een of andere reden *wist* hij dat de dokter nooit meer op zou staan.

Er was geen tijd om daarover na te denken, want uit een onpeilbare richting klonken nu voetstappen die hen achtervolgden. Wanhopig greep David de knop van de eerste de beste deur, die tot zijn verbazing nog openging ook.

Met Harley op zijn hielen schoot hij de duisternis in en sloot de deur.

Klik! Het klonk zo absoluut, dat David meteen wist dat ze opgesloten zaten. En het besef dat ze deze donkere ruimte, waar je geen hand voor ogen zag, niet meer uit konden, maakte hem misselijk van angst. Terwijl hij zich op de grond liet zakken en zijn gezicht in zijn handen begroef, alsof hij daarmee de duisternis buiten kon sluiten, klonk de bevende stem van Harley.

'Hij was dood ... die man was dood.'

Het klonk alsof hij in huilen zou uitbarsten.

'Ssst,' siste David.

Voetstappen. Ze renden voorbij.

David stak zijn hand uit en pakte Harley bij zijn trillende been. 'Maar hij kan niet dood geweest zijn, Harl,' zei hij zo rustig mogelijk. 'Dode mensen kunnen niet bloeden.'

'Hij was dood,' mompelde Harley. 'En dat niet alleen ...'

Hij maakte de zin niet af. En David wilde er eigenlijk niet bij stilstaan wat Harley verder nog had willen zeggen. Toen ze de kamer binnenstapten, hadden ze de bedden gezien, en die bedden waren leeg geweest.

De muziek galmde luider en luider, alsof ze door Davids angst aangewakkerd werd. De duisternis galmde mee. En David voelde hoe ook hijzelf niet anders kon dan meegalmen.

10

Orgelmuziek

De muziek ebde langzaam weer weg.

'Ik haat die muziek,' zei David.

'Bach,' fluisterde Harley.

'Ja, bah!' David draaide zijn hoofd naar Harley, maar zag niet meer dan een vage vorm in de ondoordringbare duisternis.

'Bach, oen! Johann Sebastian Bach, weet je wel, de componist. *Toccata en Fuga in D minor*. Dat hebben ze gespeeld. En *Passacaglia en Fuga in C minor*, de hele tijd sinds we hier zijn. En ook Mozart! *Fantasia in F minor*. Allemaal orgelmuziek!'

Het verbaasde David dat Harley dingen wist over *passadingen* en *fugazaken* en orgelmuziek. Maar hij had waarschijnlijk veel muziek gehoord voordat zijn moeder, de muzieklerares, ervandoor was gegaan.

'Wat is er gebeurd?' vroeg Harley als iemand die uit een nachtmerrie probeerde te ontwaken.

'Quinta riep *Vlucht!* en toen zijn we gevlucht,' antwoordde David. Hij haalde diep adem. 'Harley, die straat waar we de auto hebben gevonden, de Verbodstraat, weet je nog?'

'Hm,' bromde Harley.

'Quinta's naam stond daar op de muur. *Waar is Quinta?* stond er. Nou, Quinta is *hier*. Maar wat doet ze hier?'

David voelde dat Harley zijn schouders ophaalde. 'Mijn vraag is wat *wij* hier doen.'

'Dat is niet hetzelfde,' zei David. 'Nog niet, tenminste,' voegde hij eraan toe, terwijl er een rilling over zijn rug liep. 'Wij zijn nog maar net hier en zij is hier waarschijnlijk al heel lang. Ze kent in elk geval goed de weg in dit gebouw.'

'En ze wist ook van de auto,' merkte Harley op.

'Wij zijn in de val gelopen. Die auto was een valstrik,' zei David. 'Ik denk dat die auto naar de Verbodstraat wordt gestuurd om mensen te vangen. Herinner je je dat die Winnie Finney zei dat hij hem persoonlijk geprogrammeerd heeft? Misschien dat de mensen daarom zeggen dat het spookt in de Verbodstraat. Maar waarom? Ik bedoel, waarom zouden ze zoveel geld steken in een auto, alleen maar om mensen zoals jij en ik te ontvoeren? Af en toe heb ik het gevoel dat ik begrijp wat hier aan de hand is, maar voordat ik er echt vat op krijg, ontglipt het me weer.' Hij zuchtte. 'Bijvoorbeeld, toen jij dat daarnet zei over die orgelmuziek, dacht ik even dat je iets belangrijks zei, maar ik weet niet waarom het zo belangrijk leek. Spookachtig!'

'Spoken! Begin nou niet weer met je spoken, want anders ga ik er straks zelf nog in geloven,' gromde Harley. Zijn stem klonk al bijna weer als vanouds.

'Hou op, Harl,' zei David boos. 'Ik geloof niet in spoken. Ik heb nooit in spoken geloofd ... (tot nu toe, voegde hij er voor zichzelf aan toe), maar, over spoken gesproken ...'

'Jaja!' onderbrak Harley hem snel, terwijl hij overeind sprong en tegen iets aanstootte dat klonk als een ijzeren staaf. 'Waar zit het lichtknopje?'

David hoorde hem langs de muur naast de deur scharrelen. 'Hier ... denk ik.'

Het flikkerende, felle neonlicht verblindde David even. Toen zag hij dat ze zich in een grote ruimte bevonden. Glanzende, roestvrijstalen banken, wasbakken en ijskasten. De vloer en de wanden waren bedekt met witte tegels, maar één wand bestond voor het grootste deel uit stalen laden.

In het midden van de ruimte stonden twee tafels met buizen in de dikke stalen bladen, en daarachter bevond zich een nis die ook betegeld leek, maar vrijwel aan het zicht onttrokken werd door plastic schermen.

David was nog nooit in de kamer geweest, maar herkende hem onmiddellijk. Hij had de kamer gezien op het televisiescherm in de wachtkamer. En toen hij opkeek, zag hij inderdaad het donkere oog van de camera. Op de televisie waren de plastic schermen slechts vaag te zien geweest en David herinnerde zich dat Quinta had gezegd dat er altijd plekken in een ruimte waren die buiten het oog van de camera vielen.

'We verschuilen ons achter die schermen,' fluisterde hij tegen Harley. 'Kom.'

'Waarom zou iemand helemaal hierheen komen om geopereerd te worden?' vroeg Harley zich hardop af.

'Geen idee,' mompelde David, terwijl ze naar de hoek met de schermen liepen. 'En, trouwens, dit is geen operatiekamer.'

'Jawel, die tafels ...'

'Het is een mortuarium, een lijkenhuis. Dat heb ik wel eens op televisie gezien.' Hij klemde zijn tanden op elkaar en siste: 'Ze trekken zo'n lade open en daar ligt dan je vermoorde vrouw in, of iemand die ze uit de rivier hebben opgevist.'

'Een lijkenhuis?' stamelde Harley gealarmeerd. 'Waarom zouden ze hier in dit bos een lijkenhuis hebben?'

Ze kropen achter de schermen en hoorden vrijwel onmiddellijk de muziek weer aanzwellen.

'Orgelmuziek,' zei David. Zijn tanden begonnen te klapperen. 'Orgelmuziek. Ze zijn hier in het geheim bezig met dingen die niet kloppen, Harl!'

Achter de plastic schermen kwamen ze via een gewelfde doorgang in een kleine ruimte waar twee mensen in bed lagen, omringd door machines met slangen en buizen en monitors. De mensen leken dood, maar David wist – weer van de televisie – dat de bewegende lijnen op de monitors aangaven dat de mensen nog in leven waren.

Davids hersens werkten op volle toeren. 'Ik denk dat ik het weet!' siste hij terwijl hij naar de monitors staarde. 'Die dokter Fabrice voert operaties uit bij steenrijke mensen die niet op de lange wachtlijsten van gewone ziekenhuizen willen. Levertransplantaties en zo. En laten we nu eens aannemen ...'

'Hou je mond!' viel Harley uit. 'Ik wil helemaal niks maar aannemen over wat dan ook!'

Want hij had gezien dat de patiënt in het dichtstbijzijnde bed de jonge man was die ze ook al in het bed in de andere kamer hadden gezien. Geen twijfel mogelijk. Hoewel hij nu een soort masker over het grootste deel van zijn gezicht had en er allerlei slangen en buisjes met zijn nek en armen waren verbonden, herkende hij de tatoeages op de handen en onderarmen en de angstaanjagende doorzichtig bleke kleur van de huid.

David had plotseling het gevoel dat de jonge man die daar lag echt was. Buiten bewustzijn, maar wel echt. En dat een of ander deel van hem op mysterieuze wijze vrij was van dit lichaam hier, en dat hij in de andere kamer, daar, voor hen ... gematerialiseerd was, of zoiets. Om hen te waarschuwen? Een vreemde verklaring, maar op een of andere manier was David ervan overtuigd dat het zoiets moest zijn. En in het andere bed ... Hoewel zijn eigen gedachten hem de stuipen op het lijf joegen, wilde David zien wie er in dat andere bed lag. Hij wist bijna zeker dat het *Quinta* was.

'Niet kijken!' zei Harley.

En toen hoorde hij een zwak geluid. Achter de schermen, in de lijkenkamer, was de deur opengegaan.

'Zijn jullie daar?' vroeg iemand op luide fluistertoon. 'Kom maar, de kust is veilig.'

Harley zette een vinger tegen zijn lippen.

'Wees niet bang,' klonk de stem weer, dichterbij nu. 'Ik sta aan jullie kant.'

En toen gluurde er een gezicht om een van de plastic schermen.

'O, daar zijn jullie!'

Het was Winnie Finney.

11

'Straatafval'

'Ze zijn jullie aan het zoeken,' zei Winnie Finney. 'Ik dacht, ik doe mee aan de jacht. Het schijnt dat jullie onruststokers zijn en voor onruststokers heb ik een zwak plekje in mijn hart. Vroeger was ik zelf ook een beetje een herrieschopper.'

'Er gebeuren hier dingen ...' begon David. 'Vreemde dingen.'

Winnie Finney keek de kamer rond en trok een gezicht alsof hij het zelf ook allemaal vreemd vond.

'Nou ja, het is natuurlijk wel een onderzoekscentrum,' zei hij. 'Natuurlijk zie je hier dingen die voor mensen zoals jullie en ik vreemd zijn. En ja, je hebt gelijk, het is een beetje naar, hè? Maar hoe dan ook, ik kan niet geloven dat jullie slechte bedoelingen hebben. Laten we naar mijn kamer gaan, dan zul ik jullie daar verborgen houden tot het dagpersoneel weer aan de slag gaat. Jullie maken meer kans om ertussenuit te knijpen als er meer mensen aan het werk zijn.'

David had Winnie Finney wel om de hals willen vliegen. Hij klonk zo gewoon, zo geruststellend ... zo betrouwbaar.

'Blijf een eindje achter me, dan controleer ik eerst de

gang,' zei Winnie Finney. 'De lift is bijna recht tegenover de deur.'

De jongens volgden hem op een paar meter afstand. Winnie Finney trok de deur open, stak zijn hoofd om de hoek, keek naar links en rechts de gang af, wenkte hen.

'Zijn jullie er klaar voor? Kom op dan, nu!'

Op hun tenen renden ze achter hem aan, de blauwe gang op. Voor een donkerblauw rolhek bleef Winnie Finney staan en drukte op een knop in de muur. Het hek gleed open, de deur erachter gleed open. Met z'n drieën doken ze de lift in. Winnie Finney drukte op een paar knoppen en even later schoot de lift omhoog, kwam tot stilstand. Geluidloos gleed de deur weer open en ze stapten uit, op een dieprood tapijt. De warme kleur was een verademing na al dat kille blauw.

'Mijn kantoor is op deze verdieping,' zei Winnie Finney. 'En niemand stoort me hier. Ik ben hier alleen maar de mecanicien, de monteur ... de klusjesman. Bij mij ben je veilig. Jullie kunnen wat eten en drinken. En als jullie uitgerust zijn, zoeken we een oplossing voor jullie probleem, oké?'

'Ik sterf van de honger,' zei Harley.

David keek zijn vriend verbaasd aan. Hij kon zich niet voorstellen dat hij ooit nog iets zou eten. Alleen al de gedachte aan eten – en zeker vlees – deed zijn maag omkeren. Dorst had hij wel, maar het enige wat hij eigenlijk wilde drinken was water. In ieder geval niks met rood erin. Zo zuiver mogelijk.

Winnie Finney ging hen voor over het zachte tapijt naar een glanzende, houten deur die toegang bleek te geven tot een kamer vol boeken, een rommelig bureau, een overvolle prullenbak, een ouderwets straalkacheltje. In een hoek stond een grote tafel met een elektrisch oventje. Borden en kommen met bloem- en fruitmotieven stonden in een oude boerenkast. Tussen een paar gemakkelijke stoelen met kussens stond een lage tafel waarop een grote koektrommel stond. Het zag er allemaal knus en huiselijk uit.

'Zit!' zei Winnie Finney, alsof ze honden waren. 'Neem er je gemak van. Hebben jullie het koud?' Hij boog voorover om het straalkacheltje aan te zetten. 'Het is hier in een mum van tijd zo warm als in een broodrooster,' lachte hij.

Met een zucht van genot plofte David in een van de fauteuils.

'Ik zal de deur op slot doen,' zei Winnie Finney. 'Dan kunnen ze ons niet verrassen.' Hij draaide de deur op slot. 'Zo, en terwijl ik koffie zet, vertellen jullie mij maar eens precies wat er allemaal gebeurd is.'

'Nou,' begon David, 'we waren op weg naar huis, uren geleden ...'

'Afgelopen avond,' vulde Harley aan.

'Ja,' zei David. Hij keek naar de ramen. Door een kier tussen de dichtgetrokken gordijnen zag hij de duisternis van de nacht. Blijkbaar waren ze weer op grondniveau.

David en Harley vertelden om beurten over de auto in de Verbodstraat, de uitnodigende sleutel in het contactslot, hoe ze door de auto als het ware ontvoerd waren, de stad uit, over de snelweg, Willens-nillensbos in.

Intussen zette Winnie Finney koffie, die hij in drie kopjes met kleurige bloemenpatronen schonk en op het tafeltje zette. Hij zette een kannetje melk en een pot met suiker naast de koektrommel en zei dat de koekjes er waren om op te eten. Toen trok hij met een ondeugende blik in zijn ogen een zilveren heupflesje uit de binnenzak van zijn jasje en goot in elke kop een scheut okerkleurige vloeistof.

'We zijn mannen van de wereld, nietwaar?' zei hij. 'Niets beter dan een likeurtje voor de schok, toch? Help jezelf aan melk en suiker.'

Winnie Finney liet zich behaaglijk onderuitzakken in een stoel met leeuwenkoppen op de leuningen, die hij vrijwel geheel bedekte met zijn handen, zodat de leeuwen tussen zijn vingers door leken te brullen.

David en Harley waren met hun verhaal aangekomen bij Quinta. Ze vulden elkaar voortdurend aan, opgelucht als ze waren dat de uren van angst in blauwe gangen en blauwe kamers voorbij leken en ze zich konden ontspannen in een doodgewone kamer met doodgewone dingen.

Tussen het praten door aten ze koekjes, namen slokjes van de koffie en genoten van de verwarmende smaak van de likeur en het gevoel erbij te horen, als 'mannen van de wereld', zoals de vriendelijke Winnie Finney hen had genoemd.

'Dus, mijnheer Finney, dit is beslist niet een onderzoekscentrum voor bomen,' verklaarde David. 'Nou, misschien voor een deel ook wel, maar er is ook iets anders gaande. Iets *vreemds*.'

'Transplantaties!' riep Harley opgewonden trots uit, alsof hij die conclusie hoogst persoonlijk had getrokken. David wierp hem een verbaasde blik toe, want hij dacht eigenlijk dat Harley nauwelijks naar zijn theorie had geluisterd.

'Ze pikken met die auto mensen van de straat op,' vervolgde Harley. 'En David denkt dat ze die mensen gebruiken voor organen voor steenrijke mensen die niet op de wachtlijst van gewone ziekenhuizen willen.'

Winnie Finney glimlachte niet meer.

'Hm, dat is mogelijk,' zei hij. 'Ik heb die auto ontworpen, zoals ik jullie al heb verteld. Dat is mijn werk: onbemande machines ontwerpen die gebruikt kunnen worden in moeilijk toegankelijk gebied. De auto was een hobby, een speeltje. Maar nadat ik alle problemen had opgelost, verloor ik mijn belangstelling. En ik moet toegeven ... niet alle mensen die ik hier zie, lijken mij boomliefhebbers.'

'Hoe zien boomliefhebbers eruit?' vroeg Harley met een spottende grijns, zijn eerste sinds vele uren.

David hield zijn kopje in zijn linkerhand en reikte met zijn rechter naar nog een koekje. Maar zijn rechterhand leek niet te willen. Hij viel terug op zijn knie. En bijna op hetzelfde moment leken de vingers van zijn linkerhand alle kracht te verliezen. Het kopje viel op de grond.

Verschrikt draaide David zich opzij naar Harley en zag dat al diens bewegingen heel traag geworden waren. Langzaam, langzaam richtte hij zijn blik weer op Winnie Finney, die naar hem terugstaarde over zijn eigen kop koffie ... die nog helemaal vol was!

Nee! probeerde David te roepen. Maar er klonk niets. Het was of het woord stokte in een kleverige brij in zijn mond.

'Ah, ik zie dat je het begrepen hebt,' zei Winnie Finney, die voorover leunde en David diep in zijn ogen keek. Een sluwe grijns verscheen op het gezicht van de vriendelijke mecanicien.

Harley probeerde van de een naar de ander te kijken. 'W... a... t?' wist hij met moeite uit te brengen. Zijn stem klonk als vanuit een andere wereld, ver weg en wazig.

David worstelde om te antwoorden, maar hij zag algauw in dat het zinloos was: hij had zijn kopje bijna helemaal leeggedronken.

Winnie Finney stond abrupt op. 'Er zijn zoveel nietswaardige mensen in de wereld,' sprak hij, en plotseling veranderde hij in een heel ander mens. Hij glunderde nog wel, alleen nu niet meer vrolijk of uit medeleven, maar met een boosaardige gedrevenheid. 'Maar al die mensen die nutteloos zijn voor de maatschappij hebben vaak nog wel prachtige organen: longen, levers, nieren, harten die goede burgers kunnen redden. Mensen die een productief leven leiden of jonge mensen met een veelbelovende toekomst, die door veroudering of door een stom ongeluk hun leven in elkaar zien storten. Goed functionerende organen mogen niet verknoeid worden in de lichamen van uitschot, daklozen en randfiguren die zich aan alcohol of drugs te buiten gaan. Weten jullie dat er in Amerika alleen al ieder jaar minstens vijfduizend organen, die uitstekend geschikt zijn voor transplantatie, worden verbrand en begraven, terwijl er vierentwintigduizend mensen in dat land op een transplantatie hopen? Niet meer dan tienduizend van hen kunnen geholpen worden.'

Winnie Finney begon opgewonden door zijn kamer te ijsberen, bleef even staan voor een barometer die aan een muur hing, tikte er een paar keer op, draaide zich toen weer om naar David en Harley.

'De twee jonge mensen in de kamer grenzend aan het mortuarium zijn *hersendood*, zoals wij dat noemen,' vervolgde Winnie Finney. 'Als we hen zouden loskoppelen van de apparatuur, zouden ze sterven. Maar we houden hen in leven, technisch gezien. We hebben ze nodig ... vers, begrijp je. Die twee verdienden het niet om te leven. Zij hadden geen respect voor hun leven, dus waarom zou ik er dan wel respect voor hebben?'

Winnie Finney lachte, maar het klonk niet vrolijk. 'Veel organen zijn nog maar een kort leven beschoren als ze eenmaal uit het lichaam zijn verwijderd. Een hart moet binnen zes tot acht uur getransplanteerd worden. Een long redt het twaalf uur. Er zijn natuurlijk delen van het lichaam die gedurende langere tijd geconserveerd kunnen worden. Vers ingevroren huid houdt het wel drie jaar. Beenmerg ook. Hartkleppen en kraakbeen van de knie vijf jaar. Wij gebruiken de lichamen van deze jonge mensen met meer eerbied dan zij ooit gedaan zouden hebben, maar niet alles van hen is voor ons bruikbaar. Het hoornvlies van hun ogen, hun longen, misschien delen van hun huid ... Maar jullie ... Als jullie geen leukemie hebben of aids of andere risicofactoren, dan zijn jullie een rijke bron ...'

Winnie Finney fronste zijn wenkbrauwen en keek plots een beetje gekweld. 'Weet je, er is geen weg terug als je eenmaal hier bent. Waarom waren jullie dan ook zo stom om in die auto te stappen? Wat deden jullie in godsnaam in de Verbodstraat, die smerige straat voor junks en zwervers?'

David kon niet antwoorden, maar iemand anders antwoordde voor hem.

'Ik was een kind van de Verbodstraat,' klonk een stem. Het was de stem van Quinta. Maar ze was niet in de kamer, ze klonk in Davids hoofd. 'Ik was straatafval, zoals hij me zou noemen. Maar ik was taai afval, te taai voor hem! Het is hem niet gelukt mij totaal uit te schakelen. Ik hang nog steeds rond en wacht op mijn kans.'

Winnie Finney leek zich niet bewust van Quinta's 'aanwezigheid.'

'Er zijn betere mensen dan jullie die jullie hoornvlies, jullie organen en jullie pezen kunnen gebruiken. Dan zijn jullie toch nog ergens goed voor. Eigenlijk worden jullie onsterfelijk, nietwaar? Prachtig, toch?'

Hij pakte de telefoon.

'Roep me! Schiet op! Roep me!' klonk Quinta's dringende stem. 'Zorg dat hij me ziet!'

David kon geen woord over zijn lippen krijgen, maar

hij riep met een geluidloze stem die hij ergens diep in zijn bewustzijn vond.

Quinta! Quinta!

'Ik heb hier de twee voortvluchtigen,' sprak Winnie Finney in de telefoon. 'Ze zijn ongevaarlijk en gedrogeerd met een drug die zonder nadelige gevolgen zal uitwerken. Maar we zijn wel een beetje arrogant geweest, niet? Een beetje onvoorzichtig?' Zijn stem klonk niet boos, eerder sarcastisch. Als David had kunnen beven, zou hij gebeefd hebben.

En toen kwam de lucht achter Winnie Finney in beweging en verdikte zich. Op mysterieuze wijze materialiseerde Quinta zich. Maar, natuurlijk! dacht David. Quinta is een geest!

Op hetzelfde moment drong het tot hem door dat hij niet in spoken geloofde, dat hij nooit in spoken had geloofd, ook niet toen hij klein was. Maar dit, dit was gewoon iets anders.

'Denk aan hem!' echode Quinta's stem in zijn hoofd, alsof zijn hoofd leeg was van alles, behalve haar. 'Ze kunnen gedachten niet monitoren. Gedachten kunnen ze niet transplanteren. Zeg hem dat hij besmet is! Bezoedeld! Mismaakt! Denk de woorden naar hem toe! Schiet ze op hem af! Hij kent ze al, maar hij grijnst en drukt ze de kop in. Laat ze los! Je kunt het! Je kunt het!'

David staarde naar Winnie Finney en stelde zich voor dat hij door een vergrootglas keek en een verschrikkelijk monster zag.

Besmet! Bezoedeld! Mismaakt! dacht hij. Hij voelde de gedachten door Quinta heen in de richting van Winnie Finney vliegen. En toen hoorde hij muziek, de muziek van de blauwe gangen.

'Jaja! Roep een team bij elkaar!' sprak Winnie Finney in de telefoon. En toen verstijfde hij plotseling, liet de hoorn zakken en draaide zich om naar Harley en David.

'O nee!' zei hij zacht.

Muziek. David hoorde orgelmuziek in zijn hoofd. Harley! dacht hij. Harley materialiseerde de muziek en wierp die naar Winnie Finney.

Mismaakt! dacht hij, zo hard als hij kon. Besmet!

Winnie Finney hief zijn arm voor zijn gezicht alsof hij een klap wilde afweren. En terwijl hij dat deed, leek hij zich plots bewust te worden van Quinta's aanwezigheid.

'Jij!' brulde hij. 'Jij bent dood! Kijk niet naar me! Ik verloor een dochter, een goed, lief meisje, honderd keer meer waard dan jij. Ik bewijs de mensheid een dienst. Ik help mensen die het verdienen.'

Quinta staarde hem aan. David zag alleen de rode stoppels op haar achterhoofd. Alsof hij keek naar een schedel die bepoeierd was met cayennepeper.

'En je werd er goed voor betaald, dokter!' gilde ze tegen Winnie Finney. 'Voor het helpen van de mensen die het verdienen! En wat bazel je? Hoe zou ik naar je kunnen kijken?' En toen liet ze haar leren jas los om de donkere bril omhoog te schuiven.

Winnie Finney gilde.

'Grappig! Ik zie dwars door je heen!' zei Quinta. En ze lachte.

En hij gilde weer.

Iemand bonkte op de deur, maar Winnie Finney had de deur zelf op slot gedraaid en was nu niet in staat daar iets aan te doen.

Terwijl David, verdoofd door het drankje van Winnie Finney, verbijsterd toekeek, zag hij een donkere slak over Quinta's wang kruipen. Tenminste, zo leek het. Alsof hij haar iets gevraagd had, draaide Quinta haar hoofd naar hem toe en David zag in het licht dat op de slak viel dat deze rood was. En toen, de bril nog steeds op haar voorhoofd, keek Quinta hem recht aan.

Geen ogen! Quinta had geen ogen! En onder die verminkte gaten vervormde haar lach tot een afgrijselijke grijns.

'Straatafval!' schreeuwde Winnie Finney. Hij deinsde achteruit tot hij tegen zijn bureau stootte, waar hij langzaam ineenzonk, de armen over zijn hoofd geslagen. 'Ik heb je ogen aan iemand gegeven die ze voor het welzijn van de mensheid gebruikt, een artiest die prachtige schilderijen maakt.'

Quinta lachte.

'Ik neem het je niet eens kwalijk, Finney,' zei ze. 'Hoe zou ik kunnen? Jij hebt immers mijn hart!'

En met die woorden trok ze haar leren jas bovenaan open ... Quinta's borstkas zag eruit als aarde in een pot die door de vorst opengebarsten was. 'Mijn hart, en alles wat er verder nog in de buurt was.' En de lange jas viel helemaal open.

David en Harley wendden hun gezicht af. Winnie Finney kronkelde en kroop nog verder ineen. Het was alsof de lucht uit hem wegstroomde zoals uit een ballon. Hij viel op zijn rug, hapte naar adem, schopte met trappende voeten de prullenbak om en graaide met zijn handen wanhopig naar het glanzende hout van zijn bureau. Een laatste gorgelende, raspende poging om lucht in zijn longen te krijgen en toen was het voorbij. Winnie Finney lag op de vloer van zijn knusse kamer en bewoog niet meer.

Quinta sloeg de jas dicht en schoof de donkere bril terug op zijn plaats. David zag achter haar rook omhoogkringelen en nam aan dat het bij haar geestverschijning hoorde. Een soort speciaal effect.

'Dat hart was uiteindelijk niet veel waard, hè?' merkte Quinta spottend op. 'Toen ik nog leefde, was het al niet zo best, en ik neem aan dat de mensen die mijn ogen, mijn lever, mijn nieren en alle andere delen van mijn lijf hebben gehad er misschien beter gebruik van maken dan ik gedaan zou hebben. Maar ik vind eigenlijk dat je maar eerst je eigen ogen moet offeren, voordat je aan andermans ogen gaat prutsen, toch? Ik was vastbesloten hem te laten boeten voor zijn misdadige eigengerechtigheid, maar totdat jullie twee hier binnenwandelden, kreeg ik het niet voor elkaar. Ik had blijkbaar iemand nodig die in geesten geloofde. Ik heb alle energie bij elkaar gescharreld en het lukte me om ook Scags geest op te roepen. Scag is die jongen met de tatoeages. Dat was ook het werk van Fabrice en Finney: ze hebben hem aan de apparaten gelegd om organen en allerlei van hem te kunnen gebruiken wanneer het ze uitkwam. Maar nu zijn ze allebei dood en ik ga ervandoor. Ik weet niet wat er verder gaat gebeuren en het kan me ook niet schelen. Het zal allicht prettiger zijn dan wat ik tot nu toe heb meegemaakt.'

Quinta ... Quinta's geestverschijning ging op de rand van het bureau zitten en onder het oog van Harley en David werd ze doorzichtig en loste ze op. Maar de rook bleef hangen.

Rook?

En toen zagen ze dat Winnie Finney een deel van de papieren uit zijn prullenbak tegen het straalkacheltje had geschopt, waardoor ze in brand gevlogen waren. Het bureau begon al vlam te vatten en de kamer vulde zich met scherpe rook.

'We ... verbran... den... le... vend,' hoestte Harley. Maar David en Harley waren nog steeds verdoofd door Winnie Finneys drankje. Ze hadden de kracht niet om op te staan. Harleys stem klonk zwak, alsof hij op het punt stond in slaap te vallen. David wist zelfs niet zeker of hij Harley de woorden wel had horen zeggen of dat hij ze zelf gedacht had.

Maar terwijl de rook dikker werd en de vlammen groeiden, sproeide er opeens water door de kamer: de blusinstallatie in het plafond was aangesprongen. David liet zichzelf uit de stoel rollen. Hij had een keer gelezen dat je in een brandende ruimte zo dicht mogelijk tegen de grond moet gaan liggen. Harley volgde zijn voorbeeld. Water en rook prikkelden hun neusgaten.

We gaan dood, dacht David.

Toen vloog de deur open. Mannen met brandblussers stormden naar binnen, struikelden over hen. Iemand greep David bij zijn armen en begon hem de kamer uit te slepen.

En terwijl ze gered werden, verloren David en Harley het bewustzijn.

12

Wie gelooft er in spoken?

'Dokter Finney, jullie zogenaamde vriend Winnie Finney, was geen dokter in medische zin,' vertelde Davids moeder. 'Hij was een soort uitvinder van geperfectioneerde machines voor bosbouwkunde. Ongelukkigerwijze overkwam hem iets verschrikkelijks. Zijn vrouw overleed en hij bleef achter met een dochter. Hij aanbad het meisje. Toen bleek dat ze iets aan haar hart had. Ze kwam op een wachtlijst voor een transplantatie, maar voordat ze aan de beurt was, overleed ze. En dat heeft hem geestelijk geknakt.'

Davids vader, die op een stoel zat tussen de bedden van de jongens, vervolgde: 'Hij raakte verbitterd, vond dat bepaalde mensen het niet verdienden om te leven. Misdadigers, verslaafden, daklozen. Mensen van wie hij vond dat ze niet "goed" leefden. Toen een buitenlandse onderneming een stuk van het Willens-nillensbos kocht, kwam hij in contact met enkele vreemde mensen. En zo begonnen deze akelige praktijken. Het geld kwam van een internationaal syndicaat en ze opereerden ...'

David begon te hijgen, het woord benam hem de adem.

Davids vader legde een hand op zijn arm. 'Het waren echte chirurgen. Uit Australië, Singapore. Ze hadden overal in de wereld in ziekenhuizen gewerkt. De medische teams kwamen als toeristen het land binnen en belandden uiteindelijk in het Willens-nillensonderzoekscentrum.

'Intussen ontwikkelde Winnie Finney zijn vreemde auto, en hij en dokter Fabrice pikten mensen van de straat op, mensen van wie ze dachten dat niemand ze zou missen, doodden hen en gebruikten hun organen voor transplantaties. Hun klanten waren rijk en wanhopig, gewend om op hun wenken bediend te worden en al helemaal niet bereid om te wachten op zoiets levensnoodzakelijks als een hart of een lever. De prijzen die het syndicaat kon aanrekenen, waren dan ook astronomisch.

'Ze hebben altijd gewerkt binnen een legale firma die ze als dekmantel gebruikten. Het gebouw waar jullie je avontuur beleefden, werd gebouwd en gefinancierd door het syndicaat, maar als je door de andere deur in de garage was gestapt, zou je een lift naar boven gevonden hebben en in de afdeling zijn gekomen waar ze bijvoorbeeld bezig zijn met het ontwikkelen van genetisch gemanipuleerde bacteriën om bomen te beschermen tegen vraatzuchtige insecten zonder de inheemse vogels te schaden. Heel legitiem, dus.'

'Wanneer mogen we uit het ziekenhuis?' vroeg Harley. 'Niet dat ik haast heb,' voegde hij er snel aan toe. Zijn oudere zus was hem wel komen bezoeken, maar zijn vader had het tot nu toe laten afweten. David begreep dat Harley zich in de steek gelaten voelde.

'Jullie herstellen voorspoedig van het verdovende middel dat Winnie Finney jullie heeft gegeven,' zei Davids vader. 'We halen jullie morgen op ...' Hij aarzelde even. 'Harley ... je moeder is onderweg hierheen.'

Er viel een stilte.

'Wat komt zij hier doen?' mompelde Harley uiteindelijk.

'Ze schrok heel erg toen ze hoorde van jullie avontuur,' vertelde Davids vader. 'Ik weet dat het niet gemakkelijk voor je zal zijn, maar ik denk dat je moet proberen aardig tegen haar te zijn. Jullie kunnen bij ons logeren. En ik heb begrepen dat je vader een moeilijke periode doormaakt op zijn werk. Hij heeft het in ieder geval te druk om nu voor je te zorgen.'

'Ha, ja!' gromde Harley. 'Hij heeft genoeg van me. Hij wil gewoon een ander soort zoon.'

David zag dat Harley tegen zijn tranen vocht. 'Maar ik kom graag bij jullie,' voegde hij er snel aan toe. 'En ... het is oké ... mijn moeder weerzien, bedoel ik.'

'Door je moeder wist je van die orgelmuziek,' zei David. 'En het was vooral ook door die muziek dat Winnie Finney Quinta zag.'

'Quinta?' vroeg zijn vader.

David en Harley keken elkaar aan. De twee hersendode jonge mensen in het mortuarium waren de enige slacht-offers die ze hadden gezien. Om een of andere reden voel-de Quinta aan als een geheim waarover ze niet konden praten.

'David,' zei Harley, toen Davids ouders vertrokken waren, nadat ze hen allebei omhelsd hadden en beloofd dat ze hen zo snel mogelijk zouden ophalen. Harley gebruikte bijna nooit Davids naam. Meestal zei hij 'Hé!' of 'Oen!' of zoiets.

David keek zijn vriend aan.

'Quinta heeft eigenlijk twee keer ons leven gered, hè?' zei Harley.

'Dat lijkt wel zo, ja,' zei David. 'Ik denk dat als we waren gaan slapen ... dan zouden we waarschijnlijk nooit meer wakker geworden zijn. Eerst schakelde ze dokter Fabrice uit, en daarna Winnie Finney.'

'Ja,' zei Harley. Hij rilde.

'Gelukkig voor ons hoorden die brandweerlui bij het echte onderzoekscentrum en niet bij dat syndicaat,' zuchtte David.

'En we hebben geluk gehad dat ze de politie hebben gewaarschuwd,' zei Harley. Maar eigenlijk was hij met zijn hoofd niet bij hun ontsnapping. 'Dat is allemaal heel mooi, maar, luister, David ... Voordat Quinta Winnie Finney de doodsstuip bezorgde, zei ze dat ze alleen maar kon zien omdat wij in spoken ... geesten geloofden, toch? Ze werkte op een of andere manier *door* ons.'

'Ik geloof niet in spoken of geesten,' zuchtte David. 'Hoe vaak heb ik dat nu al niet gezegd? Nou ja, misschien vanaf nu, een beetje, maar gisteren geloofde ik er nog niet in. Ik heb nooit in spoken geloofd.'

Harley zuchtte ook. 'Ik wel,' zei hij zacht. 'Ik heb er altijd in geloofd. Ik deed net alsof ik er niet in geloofde, omdat de mensen, mijn vader en mijn zus en andere mensen, weet je wel, mij er altijd mee pestten.'

David keek Harley ernstig aan. Over die bekentenis moest hij nadenken.

'Nou,' zei hij na een lange stilte, en met een slaperige stem, 'jij gelooft in spoken en geesten en ik heb erover gelezen. Dat zal wel ongeveer hetzelfde zijn, hè?'

Maar Harley gaf geen antwoord meer. Hij was in slaap gevallen. Zijn haren staken boven de deken uit als de verwarde kuif van een papegaai.

Binnen een halve minuut sliep David ook. Zijn hart klopte krachtig en regelmatig, en zijn longen zogen rustig lucht naar binnen. Alle organen in zijn lijf werkten perfect. En hij was zo diep in slaap, dat geen enkele nare droom tot hem door kon dringen.

Die dromen zouden later wel komen.